T5-BAW-286

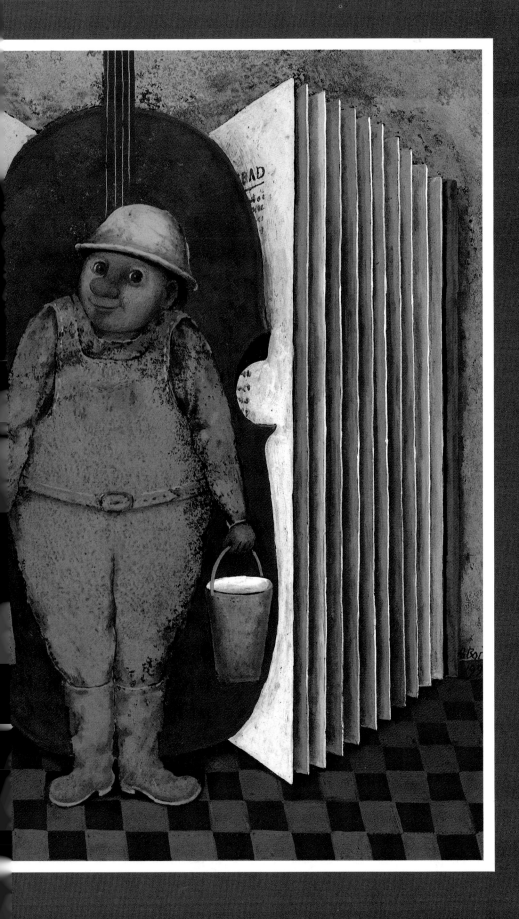

글쓴이 **모니카 페트**

1951년 독일 하겐 시에서 태어나, 문학을 전공한 모니카 페트는 현재 작은 시골 마을에 살면서 어린이와 청소년들이 읽을 글쓰기에 전념하고 있다. 『행복한 청소부』『생각을 모으는 사람』『바다로 간 화가』 등 잔잔하면서도 많은 생각을 안겨 주는 작품들로 하멜른 시 아동 문학상과 오일렌슈피겔 아동 문학상을 비롯해 독일의 여러 아동 및 청소년 문학상에 지명되었다.

그린이 **안토니 보라틴스키**

안토니 보라틴스키는 추상적인 내용을 탁월하게 형상화하는 그림들로, 오스트리아 아동 및 청소년 문학상 일러스트레이션 부문 상을 수상했다. 강렬한 인상을 심어 주는 그의 그림들은 모니카 페트의 『행복한 청소부』『생각을 모으는 사람』『바다로 간 화가』를 비롯해 다른 작가들의 여러 작품에서도 볼 수 있다.

옮긴이 **김경연**

서울대학교 독문학을 전공하고 동대학원에서 '독일 아동 및 청소년 아동 문학 연구'라는 논문으로 문학박사학위를 받았다. 독일 프랑크푸르트 대학에서 독일 판타지 아동 청소년 문학을 주제로 박사 후 연구를 했다. 옮긴 책으로는 『생각을 모으는 사람』『바다로 간 화가』『나그네의 선물』『바람이 멈출 때』『브루노를 위한 책』『잠자는 책』 등 다수의 작품이 있다.

 풀빛 그림아이

행복한 청소부

초판 1쇄 발행 2000년 11월 27일 / 초판 12쇄 발행 2005년 8월 10일

글쓴이 모니카 페트 / 그린이 안토니 보라틴스키 / 옮긴이 김경연

펴낸이 홍석 / 기획위원 김경연 / 편집진행 전소현 / 마케팅 양정수 · 김명희

펴낸곳 도서출판 풀빛 / 등록 1979년 3월 6일 제 8-24호 / 주소 120-818) 서울특별시 서대문구 북아현 3동 177-5

전화 02-363-5995(영업) 02-362-8900(편집) / 팩스 02-393-3858

e-mail pulbitkids@pulbit.co.kr / homepage www.pulbit.co.kr

ISBN 89-7474-915-7 77850 / 값 7,500 원

Der Schilderputzer by Monika Feth / Antoni Boratynski

All rights reserved by the proprietor throughout the world
in the case of brief quotations embodied in critical articles or reviews.

Korean Translation Copyright ⓒ 2000 by Pulbit Publishing Co., Seoul, Korea
Copyright ⓒ 1995 by Patmos Verlag GmbH & Co. KG, Düsseldorf

This Korean edition was published by arrangement with
Patmos Verlag GmbH & Co. KG, Düsseldorf through Bestun Korea Agency Co., Seoul

이 책의 한국어판 저작권은 베스툰 코리아 에이전시를 통해 저작권자와의 독점 계약으로 풀빛 출판사에 있습니다.
저작권법에 의해 한국 내에서 보호를 받는 저작물이므로 무단 전재와 무단 복제를 금합니다.

행복한 청소부

행복한 청소부

행복한 청소부

모니카 페트 지음 / 안토니 보라틴스키 그림 / 김경연 옮김

독일에 거리 표지판을 닦는 청소부 아저씨가 있었단다. 아저씨는 아침 7시면 일을 하러 집을 나섰지. 한 30분 후면 표지판 청소국에 도착한단다. 아저씨는 유리창 너머 수위 아저씨에게 인사하고, 탈의실로 들어갔어.

탈의실에서 파란색 작업복으로 갈아입고, 파란색 고무 장화를 신고, 비품실로 건너가, 파란색 사다리와 파란색 물통과 파란색 솔과 파란색 가죽 천을 받았어.

아저씨가 이 청소도구들을 한데 꾸릴 때, 다른 청소부 아저씨들도 자기 도구를 챙겼지. 서로 이런저런 이야기를 나누면서 말야. 그런 다음 다들 자전거 보관실에서 파란색 자전거를 꺼내 타고 청소국 문을 나섰단다.

표지판 청소부들이 자전거를 타고 떠나는 모습은 정말 볼 만했단다. 마치 커다란 파란 새들이 떼지어 둥지를 떠나는 것 같았어.

A.Boratyński '94

내가 지금 이야기하는 청소부 아저씨는 몇 년 전부터 똑같은 거리의 표지판을 닦고 있었어. 바로 작가와 음악가들의 거리야.

바흐 거리, 베토벤 거리, 하이든 거리, 모차르트 거리, 바그너 거리, 헨델 거리, 쇼팽 광장, 괴테 거리, 실러 거리, 슈토름 거리, 토마스 만 광장, 그릴파르처 거리, 브레히트 거리, 케스트너 거리, 잉게보르크 바흐만 거리. 마지막으로 또 빌헬름 부슈 광장. 거기까지가 아저씨가 맡은 곳이야.

표지판은 말야, 닦아놓았나 싶으면 금방 다시 더러워지지. 그러나 훌륭한 표지판 청소부는 그런 일에 기죽지 않아. 더러움과의 싸움을 포기하지 않는 거야.

내가 이야기하고 있는 청소부 아저씨는 정말 훌륭했어. 아저씨가 맡은 거리의 표지판은 깨끗할 뿐만 아니라, 새것처럼 보였어. 다른 청소부들도 진심으로 아저씨가 '최고'라는 걸 인정했단다. 표지판 청소부 반장과 청소국 국장도 이따금 아저씨의 어깨를 툭툭 두드리며

"잘 하십니다!"라고 칭찬했어.

아저씨는 행복했어. 자기 직업을 사랑하고, 자기가 맡은 거리와 표지판들을
사랑했거든. 만약 어떤 사람이 아저씨에게 인생에서 바꾸고 싶은 것이
있느냐고 물었다면, "없다"라고 대답했을 거야.

어느 날 한 엄마와 아이가 파란색 사다리 옆에 멈추어 서지 않았더라면
계속 그랬을 거야.

"엄마, 저것 좀 보세요! 글루크 거리래요!"

아저씨가 막 닦아 놓은 거리 표지판을 가리키며 아이가 외쳤어.

"저 아저씨가 글자의 선을 지워버렸어요!"

"어디 말이니?"

엄마가 깜짝 놀라 위를 쳐다보며 물었어요.

"저기요. 글뤼크 거리라고 해야 하잖아요?"

독일어로 글루크는 아무 뜻이 없지만 글뤼크는 '행복' 이란 뜻이 있거든.
엄마가 대답했어.

"그렇지 않아. 글루크가 맞단다. 글루크는 작곡가 이름이야. 그 이름을
따서 거리 이름을 붙인 거란다."

버스 한 대와 트럭 두 대가 덜커덕거리며 지나갔어. 그 바람에 엄마의
목소리가 묻혀버렸어. 다시 조용해졌을 땐 엄마와 아이는 이미 그 자리를
떠나고 없었어.

글루크거리

A.Borotynski 94

아저씨는 당황해서 다시 한번 표지판을 쳐다보았어. 문득 글루크라는 사람에 대해 그 아이만큼 아무 것도 모른다는 생각이 들었어.

유명한 사람들의 이름을 늘 코앞에 두고 있으면서도, 정작 그들에 대해 아무 것도 몰랐지 뭐야.

그건 안 되지. 이대로는 안 돼. 아저씨는 생각했어.

아저씨는 사다리에서 내려와, 바지 주머니에서 동전을 꺼내들고 공중에다 던졌어. 그림이 나오면 음악가부터 시작하고, 숫자가 나오면 작가부터 시작할 생각이었어. 동전이 바닥으로 쨍그랑 떨어지며, 반짝반짝 춤을 추며 돌다가, 핑그르르 멈추었어.

그림이 나왔어.

아저씨는 몸을 굽혀 동전을 주워들었어. 이제 무엇부터 해야 할지 손으로 동전을 돌리며 곰곰 생각했어. 근무 시간이 끝날 때까지 기다릴 수 없을 것 같았어.

아저씨는 일을 마치는 다섯 시가 되자 재빨리 자전거에 올랐지. 머리를 휘날리며 표지판 청소국으로 달려가, 급히 옷을 갈아입고 집으로 갔어.

문을 열고 들어서자마자 아저씨는 종이와 연필을 찾아 이름을 죽 썼어.

글루크 - 모차르트 - 바그너 - 바흐 - 베토벤 - 쇼팽 - 하이든 - 헨델

아저씨는 이름들을 다시 한번 훑어보고 압정으로 벽에 붙여놓았어. 다음에는 신문을 꼼꼼히 보며 음악회와 오페라 공연에 관한 정보를 모았어. 어떤 것들은 공연 날짜를 수첩에 적어 놓기도 했지.

그 날이 오면 입장권을 사고, 옷장에서 좋은 양복을 꺼내 입고, 음악회장이나 오페라 극장으로 갔단다. 이제 내가 부족한 게 뭔지 알 것 같아. 주위가 긴장될 정도로 고요해지면, 종종 아저씨의 머리 속에 그런 생각이 스쳤어. 음악 소리가 솟아오르기 시작했어. 조심조심 커지다가, 둥글둥글 맞물리다, 산산이 흩어지고, 다시 만나 서로 녹아들고, 바르르 떨며, 움츠러들고, 마지막으로 갑자기 우뚝 솟아오르고는, 스르르 잦아들었어.

아저씨는 오싹 몸을 떨며 멍한 상태에서 깨어났어.

종이 부스럭거리는 소리, 우르르 걸어가는 발소리······.

문이 열리고 사람들은 왁자지껄하며 밖으로 나갔어. 아저씨는 주위를 돌아보며 미소를 지었어.

글루크
모차르트
바그너
바흐
베토벤
쇼팽
하이든
헨델

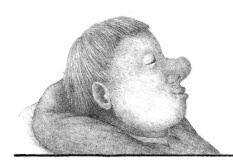

크리스마스가 되자 아저씨는 레코드 플레이어를 샀어.

이를테면 자기 자신에게 크리스마스 선물을 한 거야. 포장을 풀어 플레이어를 꺼내 크리스마스 트리 밑에 갖다 놓고, 엄숙하게 첫번째 레코드판을 올려놓았어.

아저씨는 밤새 거실에 누워 음악을 들었어. 그러자 차츰차츰, 오래 전에 죽은 음악가들이 다시 살아나 가장 좋은 친구가 되는 느낌이 드는 거야. 그들의 음악을 들으며 속으로 묻고 대답하고, 마치 서로 이야기를 나누는 것 같았어.

아저씨는 일을 하면서 머리 속에 간직한 가락을 나지막이 휘파람으로 불었어. 모차르트의 〈소야곡〉, 베토벤의 〈달빛 소나타〉. 심지어는 오페라 곡까지 외워서 불었단다. 쉬운 일은 아니었어. 휘파람으로 낼 수 있는 건 언제나 한 가지 소리밖에 없고, 다른 소리들은 상상을 해야 했으니까.

음악가들에게 자신이 생기자 아저씨는 벽에서 명단을 떼어냈어. 그리고 종이를 뒤집어 뒷면에다 새로운 이름들을 썼어.

이번에는 작가들 이름이었어. 괴테 - 그릴파르쳐 - 만 - 바흐만 - 부슈 - 브레히트 - 실러 - 슈토름 - 케스트너

그리고는 종이를 원래 자리에 도로 붙여놓고, 시립 도서관에 가서 이 작가들이 쓴 책들을 빌렸어.

A.Boratyński '94

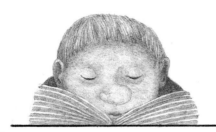

　몇 주가 지나자 도서관 직원이 아저씨를 알아보고, 친절하게 인사를
건넸어. 아저씨는 도서관 최고의 단골 손님이 되었거든.

　아저씨는 전에는 한번도 들어보지 못한 말들을 자꾸만 만나게 되었어.
어떤 말은 무슨 뜻인지 이해되었지만, 어떤 말은 이해되지 않았어. 그래서
무슨 뜻인지 알게 될 때까지 되풀이해서 읽었어.

　저녁이면 저녁마다 아저씨는 책 속의 이야기들에 잠겨 있었어.
아저씨가 거기서 발견한 비밀들은 음악에서 발견했던 비밀들과 무척이나
비슷했어.

　아하! 말은 글로 쓰인 음악이구나. 아니면 음악이 그냥 말로 표현되지
않은 소리의 울림이거나. 아저씨는 생각했어.

"참 안타까운 일이야."

어느 날 아저씨는 동료 청소부들에게 말했어.

"좀 더 일찍 책을 읽을 걸 그랬어. 하지만 모든 것을 다 놓친 것은 아니야."

글은 아저씨의 마음을 차분하게도 했고, 들뜨게도 했어. 또 아저씨를 곰곰 생각에 잠기게도 했고, 우쭐한 기분이 들게도 했어. 기쁘게도 했고, 슬프게도 했지. 음악가들이 음을 대하듯, 곡예사가 공과 고리를, 마술사가 수건과 카드를 대하듯, 작가들은 글을 대했던 거야.

아저씨는 작가들과도 음악가들과 같이 친구사이가 되었어.

작가들의 모든 작품을 알게 되었을 때, 아저씨는 일을 하면서 특별히 마음에 든 구절들을 혼자 읊조려보았어.

괴테의 〈마왕〉. "누가 이렇게 늦은 밤에 바람 속을 달리는가?"

브레히트의 〈악당 매키의 노래〉.

"그 상어는 이빨이 있다네 / 얼굴에 이빨이 있다네."

또 슈토름의 〈백마의 기수〉나 빌헬름 부슈의 〈막스와 모리츠〉에 나오는 구절들.

　이렇게 아저씨는 멜로디를 휘파람으로 불며, 시를 읊조리고, 가곡을 부르고, 읽은 소설을 다시 이야기하면서 표지판을 닦았어.

　지나가던 사람들이 그것을 듣고는 걸음을 멈추었어. 파란색 사다리를 올려다보고는 깜짝 놀랐지. 그런 표지판 청소부는 한 번도 만난 적이 없었거든. 대부분의 어른들은 표지판 청소하는 사람 따로 있고, 시와 음악을 아는 사람 따로 있다고 생각하잖니. 청소부가 시와 음악을 알 거라고는 상상도 못하지. 그런데 그렇지 않은 아저씨를 보자 그들의 고정관념이 와르르 무너진 거야. 그들의 고정관념은 수채통으로 들어가, 타버린 종이 조각처럼 산산이 부서졌어.

　사다리 위의 아저씨는 자신이 어떤 사건을 일으켰는지 전혀 알아차리지
못했어. 표지판을 박박 문질러 닦고, 호호 불어 윤을 내었지. 표지판이
반짝반짝 빛나면 비로소 일을 멈추고 쉬었어.

　이제 아저씨는 시립 도서관에서 음악가와 작가들에 대해 학자들이 쓴
책을 빌리기 시작했어. 그 책들은 이해하기 어려웠고, 때로는 결코 끝까지
읽어내지 못하리라는 생각이 들었어.

　시간이 흘러, 아저씨는 꽤 나이를 먹었어. 아저씨는 예나 지금이나 표지판을
돌보고 보살폈어. 이따금 손가락 끝으로 이제는 너무도 소중해진 이름들을
어루만지며, 일하는 동안 자기 자신에게 음악과 문학에 대해 강연을 했지.

　그러던 어느 날, 한 가족이 파란색 사다리 옆에 서서 열심히 아저씨 이야기를 들었어. 어떤 두 여자아이들은 재잘대던 이야기를 멈추고 아저씨를 올려다보았어. 한 젊은이는 가방을 땅에 내려놓고 귀를 기울였어. 거기에 어떤 선생님과 반 학생들도 함께 와서 듣는 거야. 사람들이 모인 것을 보자 다른 사람들이 그 뒤에 가서 섰어.

　아저씨는 아무 것도 알아차리지 못했어. 일을 끝내고 여전히 중얼거리며 파란색 사다리를 내려오는데, 사람들이 박수를 치는 거야.

　아저씨는 얼굴이 빨개졌어. 얼른 물건들을 챙겨 다음 표지판을 향해 파란색 자전거를 밀었어. 사람들이 아저씨를 따라왔어. 아저씨는 부담스러웠지만, 어떻게 하겠어? 따라 오지 말라고 하기가 쉽지 않았어. 일을 계속하며 강연을 하는 수밖에. 그러면서 밑을 쳐다보지 않으려고 애를 썼어.

A. Baratynski '94

　시간이 거북이처럼 기어갔어. 빌헬름 부슈 광장의 교회 시계가 마침내 다섯 시를 가리키자, 아저씨는 휴우 안도의 한숨을 쉬었어. 아저씨는 몸을 날리듯 자전거에 올라타고 그 곳을 떠났어.

　다음 날 아침, 사람들은 벌써 바흐 거리에서 아저씨를 기다리고 있었어. 아저씨는 너무 놀라 딸꾹질이 나왔어. 아저씨는 숨을 멈추고 천천히 열까지 센 다음, 파란색 사다리로 올라가 첫번째 표지판을 닦으며 새 강연을 시작했지.

　사람들은 아저씨 발꿈치에 바싹 붙어 있었어. 아저씨가 마지막 표지판을 청소하고 마지막 말을 끝내자, 사람들은 웅성웅성 칭찬의 말을 주고받았어.

　아저씨는 도망치듯 자리를 떠났고, 사람들도 뿔뿔이 흩어졌어.

　이제 아저씨는 다른 사람들을 생각해야 한다는 걸 깨달았어. 그래서 더욱 열심히 준비를 했어. 웃음거리가 되고 싶지 않았거든.

　점점 더 많은 사람들이 강연을 들으러 왔고, 점점 더 빽빽하게 파란색 사다리를 에워쌌어. 아저씨는 표지판에서 표지판으로 옮겨가며, 사다리를 올라갔다 다시 내려왔지만, 이제는 사람들에게 신경 쓰지 않았어.

어느 날 텔레비전 방송 '오늘의 인물' 의 카메라맨과 기자가 왔어. 그들은 일하는 아저씨를 찍고, 이것저것 질문을 했지. 아저씨는 밤새 유명해졌어.

이제 모든 것이 온통 뒤죽박죽 되었어. 가는 곳마다 아저씨의 사인을 받으려는 사람들이 진을 쳤어. 편지들이 커다란 자루에 가득 찰 만큼 집으로 날아왔어. 표지판 청소부 반장과 표지판 청소국 국장은 아저씨에게 칭찬을 늘어놓으며 꽃다발을 건네주었어. 아저씨 때문에 표지판 청소국의 위신이 높아졌거든.

네 군데 대학에서 강연을 해달라는 부탁이 왔어. 그렇게 하면 아저씨는 훨씬 유명해질 수 있을 거야.

하지만 아저씨는 거절하기로 결심하고 답장을 썼어.

"나는 하루종일 표지판을 닦는 청소부입니다. 강연을 하는 건 오로지 내 자신의 즐거움을 위해서랍니다. 나는 교수가 되고 싶지 않습니다. 지금 내가 하는 일을 계속하고 싶습니다. 안녕히 계세요."

그리고 아저씨는 지금까지 그랬듯이, 표지판 청소부로 머물렀단다.

청소부 아저씨를 행복하게 했던 사람들

청소부 아저씨를 행복하게 했던 음악가들

글루크
Christoph Gluck(1714~1787)
독일의 고전 오페라 작곡가. 18세기의 오페라 개혁자로서 불멸의 이름을 남겼다.

모차르트
Wolfgang Amadeus Mozart(1756~1791)
오스트리아 작곡가. 요제프 하이든과 더불어 18세기 빈 고전주의 악파의 대표적인 음악가이며, 오페라, 실내악, 교향곡, 피아노 협주곡 등 여러 양식에 걸쳐 방대한 작품을 남겨 전시대를 통틀어 음악의 천재 중 한 사람으로 알려졌다.

바그너
Wilhelm Richard Wagner(1813~1883)
독일의 극음악 작곡가. 오페라 음악을 통해 이룬 혁신으로 수많은 사람들에게 영향을 끼쳤다.
가장 유명한 작품으로 4부작 〈니벨룽겐의 반지〉가 꼽힌다.

바흐
Johann Sebastian Bach(1685~1750)
동시대인들 사이에서 뛰어난 하프시코드 연주자, 오르간 연주자, 오르간 제작자로 존경받았지만 오늘날에는 〈브란덴부르크 협주곡〉·〈B단조 미사〉·〈평균율 클라비어 곡집〉 등 수많은 종교음악과 기악곡을 남긴 가장 위대한 작곡가의 한 사람으로 추앙 받고 있는 바로크 시대 독일의 작곡가.

베토벤
Ludwig van Beethoven(1770~1827)
서양 음악사상 가장 위대한 음악가의 한 사람으로 존경받는 독일의 작곡가.
소나타, 교향곡, 협주곡 현악4중주 등의 영역을 확대했고, 교향곡 9번에서는 지금까지 한번도 시도된 적이 없었던 성악과 기악을 한데 결합시켰다.

쇼팽
Fryderyk Franciszek Chopin(1810~1849)
음악에 있어 위대한 시인으로 평가되는 폴란드 태생 프랑스의 작곡가·피아니스트.
피아노 협주곡과 55곡의 마주르카, 13곡의 폴로네즈, 24곡의 전주곡, 19곡의 야상곡을 포함한 피아노 소품들로 유명하다.

하이든
Franz Joseph Haydn(1732~1809)
18세기 중엽 고전주의 양식의 발전에 큰 역할을 했고, 특히 현악4중주와 교향곡 형식의 확립에 기여한 오스트리아의 작곡가.

헨델
Georg Friedrich Händel(1685~1759)
후기 바로크 시대 독일 태생 영국의 작곡가. 특히 오페라, 오라토리오, 기악 음악으로 유명하며 대표작으로는 오라토리오 〈메시아〉, 부수 음악인 〈수상 음악〉·〈왕궁의 불꽃놀이〉가 있다.

▌청소부 아저씨를 행복하게 했던 작가들

괴테
Johann Wolfgang von Goethe(1749~1832)
세계 문학사의 거인으로 널리 인정되는 독일의 문호.
시인·비평가·언론인·화가·무대연출가·정치가·교육가·과학자라는 칭호에서도 보이듯 유럽인으로서는 마지막으로 르네상스 거장다운 다재다능함과 뛰어난 솜씨를 보였다. 과학에 관한 저서만도 14권에 이를 정도로 방대한 양의 저술과 그 다양성은 놀랄 만하다.

그릴파르처
Franz Grillparzer(1791~1872)
오스트리아의 극작가. 고대의 여성 시인 사포를 모델로 하여 예술과 인생의 대립을 그린 연애비극 〈사포〉를 발표하여 절찬을 받았고, 그리스 신화에서 소재를 취한 3부작 〈금빛양털〉을 비롯해 그의 비극들은 오스트리아 연극계에서 가장 위대한 작품으로 평가되었다.

만
Thomas Mann(1875~1955)
20세기의 가장 중요한 작가의 한 사람으로 꼽히는 독일의 소설가. 〈부덴브로크가〉·〈베네치아에서의 죽음〉·〈마의 산〉과 같은 초기소설로 1929년에 노벨 문학상을 받았다.

바흐만

Ingeborg Bachmann(1926~1973)

오스트리아 출생의 시인 · 소설가. 특히 시어를 전통에서 해방시키고 형식실험을 통해 자신들이 겪은 혼돈의 체험을 표현함으로써 전후 독일어권 문학의 황무지 위에 새로운 시어를 심은 서정시인으로 평가된다. 산문집 〈삼십세〉와 소설 〈말리나〉로도 알려져 있다.

부슈

Wilhelm Busch(1832~1908)

독일의 화가 · 시인. 재치 있고 풍자적인 압운시가 딸린 드로잉으로 유명하다.
〈막스와 모리츠〉와 같이 짧은 어구들의 이야기 그림들로 이루어진 그의 작품은 지금까지도 여전히 사랑을 받고 있다.

브레히트

Bertolt Brecht(1898~1956)

독일의 시인 · 극작가 · 연극개혁가. 특히 극문학에서 연극적 환상을 일으키는 전통에서 벗어난 그의 서사극은 드라마를 좌익운동을 위한 사회적 · 이데올로기적 토론장으로 발전시켰다.

슈토름

Hans Theodor Woldsen Storm(1817~1888)

독일의 시인 · 소설가. 독일 문학사상 가장 뛰어난 중편소설을 썼으며, 일상생활의 긍정적 가치를 그려내는 것을 목표로 삼았던 독일의 시적 사실주의의 탁월한 대표자로 평가된다.

실러

Johann Christoph Friedrich von Schiller(1759~1805)

독일의 극작가 · 시인 · 문학이론가. 〈도적떼〉 · 〈발렌슈타인〉 · 〈마리아 슈투아르트〉 · 〈빌헬름 텔〉과 같은 희곡으로 가장 많이 알려져 있다.

케스트너

Erich Kästner(1899~1974)

독일의 풍자가 · 시인 · 소설가.
〈에밀과 탐정들〉 〈쌍둥이 로테〉 〈날으는 교실〉 등의 어린이 문학으로 잘 알려져 있다.

생각을 키워 주는 행복한 그림책

기발한 상상력으로 따뜻한 글을 쓰는 모니카 페트와 개성 있는 색감의 안토니 보라틴스키가 호흡을 맞춘 그림책 시리즈.
지나치기 쉬운 우리 삶의 모습을 통해 따뜻하고 소중한 철학적 메시지를 전해 주고 있습니다.

(모니카 페트 글 · 안토니 보라틴스키 그림 / 김경연 옮김 / 각권 7,500원)

2001 문화관광부
추천 도서
어린이도서연구회 권장도서
중앙일보 선정
2001년 좋은 책

행복한 청소부

거리의 표지판을 닦는 청소부 아저씨의
참배움을 통한 참행복의 이야기.

웹진 열린어린이 추천도서 / 한국출판인회의 선정 이 달의 책
2002 한우리독서문화운동본부 선정도서
책읽는교육사회실천협의회 추천도서

생각을 모으는 사람

생각을 모으는 아저씨가 들려 주는
기발하고 아름다운 '생각'에 대한 이야기.

웹진 열린어린이 추천도서

바다로 간 화가

가난한 화가 할아버지의 바다를 향한
간절한 꿈 이야기.

2002 한우리독서문화운동본부 선정도서
웹진 열린어린이 추천도서

■ **행복한 청소부** ■
배움이란 어떤 것이어야 하는가를 깨닫게 해 주는 동화다. 우리 아이들에게 부모님이 이 동화를 읽어 준다면 아이들은 청소부 아저씨가 책을 통해 얻게 되는 기쁨에 대해 호기심을 가질 것이다. 인물들의 얼굴 표정 하나 하나가 살아 있다. 화려하진 않지만 빛의 대비가 아름다운 그림이 내용의 이해를 돕고 편안한 정서를 심어 줄 것이다. - 동아일보

「행복한 청소부」는 문학과 음악을 통해 삶을 아름답고 행복하게 변모시킨 청소부 이야기다. 어른이면서도 어린이를 닮은 귀여운 얼굴에 땡글땡글한 눈동자가 빛나는 주인공 청소부의 표정은 삶의 순간 찾아온 깨달음의 순간을 소중히 간직하며 전혀 다른 세계로 나아가 있는 모습을 리얼하게 보여 준다. - 중앙일보

표지판을 닦으면서 아저씨가 부르는 시와 노래 소리에 사람들이 몰리고, 마침내 대학에서 강의 요청도 들어오지만 아저씨에게 시와 노래와 무엇보다 자신을 위한 것이다. 청소부 아저씨는 여전히 일에 만족하면서 청소부 할아버지가 되어 간다. 단출하지만 의미 깊은 이야기에 그림도 빼어나다. - 한겨레신문

■ **생각을 모으는 사람** ■
모니카 페트와 안토니 보라틴스키가 함께 만들어 내는 그림책들은 읽는다기 보다 느끼는 책이다. 매일매일 어디선가 생각들이 새롭게 꽃으로 피어난다는 이야기는, 각박한 생각이 넘쳐나는 세상에서 작은 희망처럼 느껴진다. - 한겨레신문

부루퉁 씨는 아침 여섯 시 반이면 어김없이 낡은 배낭을 매고 생각을 모으러 길을 나선다. 예쁜 생각, 미운 생각, 즐거운 생각, 조용한 생각……. 「행복한 청소부」의 작가와 일러스트레이터 팀이 또 한번 환상적 세계로 아이들을 데려다 준다. - 중앙일보

머릿속에 있는 생각을 모을 수 있다는, 그리고 그 생각이 꽃으로 피어날 수 있다는 상상력이 엉뚱하고 발랄하다. 초현실주의풍의 그림도 탁월하다. 선반 위에서 수다떨고 기어오르고 날아다니는 생각들의 향연을 그려낸 장면은 압권이다. - 경향신문

■ **바다로 간 화가** ■
꿈의 진정한 의미를 느낄 수 있게 하는 그림 동화. 평생 도시에 살면서 눈에 보이는 거라면 뭐든 그렸던 화가. 그는 바다에 가서 바다를 그리는 것이 꿈이었다. 간절하게 바다를 그리고 싶어했던 가난한 화가의 이야기가 가슴 뭉클한 감동을 전해준다. - 소년동아일보

「바다로 간 화가」그림들은 추상적인 내용을 탁월하게 형상화하고 있다. 한 폭의 그림은 세상 어디든지 갈 수 있는 마법의 문이기도 하다. 창문을 여는 순간, 출렁이는 바다를 볼 수 있는 어린이의 꿈은 강하다. 꿈은 무엇인가를 지극히 사랑하는 일이며 마음의 창문을 여는 일이다. - 국민일보